Dans la même série :

Alice au Pays des Merveilles
La Belle au bois dormant
Le Chat botté
Le Joueur de flûte de Hamelin
Le Vilain Petit Canard
Ali Baba et les quarante voleurs
Pinocchio
Peter Pan
Cendrillon
La Princesse et le petit pois
Sinbad le marin
Le Petit Chaperon rouge

Adaptation : Christine Logette

Dépôt légal pour la France n° 4742 - Octobre 1988
ISBN pour la France 2-261-02348-0
Imprimé à Singapour

Contes de fées
Ali Baba
et les quarante voleurs
d'après les Mille et Une Nuits

IL ÉTAIT une fois un pauvre bûcheron nommé Ali Baba. Un jour qu'il ramassait du bois dans la forêt, il aperçut au loin une troupe de cavaliers armés jusqu'aux dents. Ils avaient l'air si terrifiants qu'il alla se cacher pour les regarder s'éloigner.

Comme il était très curieux, il suivit les cavaliers grâce à la trace laissée par leurs chevaux dans le sable.

Il n'eut pas besoin d'aller bien loin. Les cavaliers s'étaient arrêtés devant un immense rocher au pied d'une grande colline. Ali Baba comprit alors qu'ils étaient des brigands.

Levant le bras, leur chef s'écria : « Sésame, ouvre-toi ! »

Le rocher s'ébranla. Il gémit, grinça et, à la surprise d'Ali Baba, s'ouvrit… C'était le seuil d'une caverne secrète, où les hommes pénétrèrent avec leurs montures.

Ali Baba prit peur. Il ne savait que faire. Il dissimula son âne dans la forêt et attendit.

Peu de temps après, les bandits réapparurent. Ils étaient au nombre de quarante. Le chef cria : « Sésame, ferme-toi ! », et le rocher se referma.

Dès qu'ils furent hors de vue, Ali Baba reprit courage. Il ordonna : « Sésame, ouvre-toi ! » La paroi s'ouvrit comme par magie, et Ali se précipita à l'intérieur.

La caverne était gorgée d'or et de joyaux amassés par les voleurs. Ali Baba se hâta de charger d'or son âne et s'éloigna de la caverne aussi vite qu'il le put.

Il raconta son étrange aventure à son grand frère Cassim, qui était très riche.

Celui-ci ne voulut d'abord pas le croire, mais lorsqu'il vit le trésor qu'Ali avait rapporté de la caverne secrète, il voulut savoir où elle était.

Cassim avait le cœur très cupide. Il prit donc dix mulets pour se rendre au repaire des brigands et en ramener le plus de trésors possible.

Il prononça la formule magique. Le rocher pivota, et Cassim fut ébloui à la vue de toutes ces richesses.

Il voulait tout emporter ! Oubliant les voleurs, il chargea ses mulets de sacs d'or et de pierres précieuses.

Il était si avide qu'il était encore dans la caverne lorsque les voleurs arrivèrent. Ces derniers le transpercèrent alors de leur épée.

Inquiet de ne pas voir revenir son frère, Ali Baba partit à sa recherche. Hélas ! Quand il entra dans la caverne, il y découvrit le cadavre de Cassim.

Pleurant amèrement, il ramena les restes de son frère à la ville pour les enterrer. Il prit soin de ramener aussi ses dix mules, encore toutes chargées de trésors.

Peu de temps après, l'humble bûcheron acheta une belle demeure où il vécut dans l'abondance avec sa femme.

Malgré sa richesse, Ali Baba restait généreux et il partageait sa fortune avec les autres.

Les quarante voleurs étaient furieux. Lorsqu'ils découvrirent que leur trésor avait disparu, ils jurèrent de retrouver celui qui l'avait dérobé.

En apprenant qu'Ali était soudain devenu riche, ils comprirent aussitôt que c'était lui.

Un soir, le chef des voleurs, déguisé en marchand, s'arrêta devant la demeure d'Ali Baba. Il avait emmené avec lui vingt mulets chargés de quarante énormes jarres d'huile.

« J'ai beaucoup voyagé, dit-il. Vous êtes connu pour être généreux. Pouvez-vous m'accorder l'hospitalité pour la nuit ? »

Ali Baba accepta. Il fit poser les jarres dans la cour et mettre les mulets à l'écurie.

Puis, en attendant le dîner, ils bavardèrent gaiement.

Mais Zoraida, la femme d'Ali, vint à manquer d'huile. Elle décida donc d'en emprunter à son invité.

Arrivée dans la cour, elle frappa l'une des jarres pour voir si elle était pleine. Et, au lieu du son auquel elle s'attendait, une voix à l'intérieur murmura : « C'est le moment ? »

Sans perdre son sang-froid, elle répondit : « Non, pas encore ! » Mais elle comprit le danger qui les menaçait.

Une seule jarre contenait de l'huile. Toutes les autres dissimulaient un voleur qui n'attendait qu'un signe de son chef pour sortir de sa cachette et massacrer Ali Baba.

C'est le moment?

Zoraida courut à la cuisine. Elle prépara une potion destinée à endormir les voleurs.

Puis elle retourna dans la cour. Elle versa quelques gouttes du breuvage dans chaque jarre, et les voleurs tombèrent aussitôt dans un profond sommeil.

Zoraida raconta à tous ses voisins ce qui s'était passé. Elle leur demanda d'être prêts à l'aider le moment venu.

Puis elle alla retrouver Ali Baba qui bavardait avec le faux marchand. Elle cria alors à celui-ci : « Tu es un bandit et un voleur ! »

Furieux, le chef des brigands bondit, prêt à l'attaque. Mais avant qu'il puisse faire un geste, les voisins l'encerclèrent et le firent prisonnier.

Aussitôt, les gendarmes accoururent. Ils emmenèrent le chef des voleurs et les énormes jarres dans lesquelles les hommes dormaient encore.

Lorsque Ali Baba révéla le lieu de la caverne secrète, il reçut la moitié du trésor en récompense. Et il vécut heureux avec sa femme le reste de sa vie.